KENSHIN
LE VAGABOND

de Watsuki Nobuhiro

VOLUME 2

KENSHIN LE VAGABOND
TITRE ORIGINAL : "RUROUNI KENSHIN"
© 1994 by Nobuhiro Watsuki
All Rights reserved.
First published in Japan in 1994 by SHUEISHA INC., Tokyo.
French translation rights in France arranged by SHUEISHA INC.

Traduction : Wako Miyamoto / Olivier Prézeau
Adaptation graphique et lettrage : Digibox
© 1998, GLÉNAT
BP 177, 38008 Grenoble cedex.
Domaine d'application du présent copyright:
France,Belgique,Suisse,Luxembourg,Québec.
ISBN 2.7234.2582.7
ISSN : 1253 - 1928
Dépôt légal : novembre 1998

Imprimé en France par Maury-Eurolivres
45300 Manchecourt

EMBARQUEZ SUR **www.glenat.com**

TOUTE RESSEMBLANCE AVEC DES
FAITS AYANT RÉELLEMENT EXISTÉ NE
SERAIT QUE PURE COINCIDENCE.

PERSONNAGES PRINCIPAUX

KENSHIN HIMURA
(BATTOSAÏ L'ASSASSIN)

YAHIKO MYÔJIN

KAORU KAMIYA

E CHAPEAU NOIR
(JINNÉ UDÔ)

SANOSUKÉ SAGARA
(SURNOMMÉ ZANZA)

LES FRÈRES
HIRUMA
(KIHEH,
GOHEH)

RÉSUMÉ DE
L'ÉPISODE PRÉCÉDENT

KENSHIN HIMURA, NOTRE HÉROS, PORTE UN SABRE DONT LA LAME
EST INVERSÉE, CE QUI LUI INTERDIT DE TUER. SON PSEUDONYME EST
BATTOSAÏ HIMURA, LE PLUS CÉLÈBRE ASSASSIN DE TOUS LES PATRIOTES
QUI ONT CONTRIBUÉ À LA RESTAURATION MEIJI. APRÈS L'AVÈNEMENT DE
MEIJI, KENSHIN EST DEVENU UN VAGABOND. CEPENDANT, IL LOGE
TEMPORAIREMENT AU DÔJÔ KAMIY₁₁, APRÈS AVOIR MIS EN DÉROUTE LES
FRÈRES HIRUMA ET RÉSOLU AINSI "L'AFFAIRE DU FAUX BATTOSAÏ". AU
COURS DE CETTE HISTOIRE, LE DÔJÔ KAMIYA A PERDU TOUS SES DISCIPLES.
MAIS DEPUIS L'ARRIVÉE DE YAHIKO MYÔJIN, UN JEUNE ISSU DE LA CASTE
DES SAMOURAÏS, SAUVÉ DES YAKUZA PAR KENSHIN, LE DÔJÔ PEUT ESPÉRER
RENAÎTRE. MALHEUREUSEMENT, SITÔT SORTIS DE PRISON, LES FRÈRES
HIRUMA TENTENT DE NOUVEAU D'OBTENIR LE TERRAIN DU DÔJÔ.
ILS ENGAGENT SANOSUKÉ SAGARA, UNE SORTE DE MERCENAIRE,
POUR SE DÉBARRASSER DE KENSHIN. MALGRÉ SES RÉTICENCES,
SANOSUKÉ ACCEPTE LA MISSION EN RAISON DE SA HAINE POUR LES
ANCIENS PATRIOTES. KENSHIN RELÈVE LE DÉFI CONTRE SON GRÉ.
LE COMBAT SE DÉROULE EN PRÉSENCE DE KAORU, DE YAHIKO ET
DES FRÈRES HIRUMA...

KENSHIN
LE VAGABOND

TABLE DES MATIÈRES

KENSHIN LE VAGABOND,
CHRONIQUE D'UN EXPERT EN
SABRE À L'ÈRE MEIJI.

VOLUME 2

●

Scène 7 "Le symbole du mal"

C'EST LA TECHNIQUE DES ÉCAILLES DE DRAGON...

... DE L'ÉCOLE HITEN MITSURUGI.

IL EST FORT...!

... JE NE L'AURAIS JAMAIS CRU SI FORT.

IL N'EST PAS COMME LES AUTRES...

JE N'AI AUCUNE CHANCE.

METTONS FIN À CE COMBAT INUTILE.

ACCEPTEZ VOTRE DÉFAITE.

JE N'AI PAS L'INTENTION DE CONTINUER.

BONNE NOUVELLE, "KENSHIN LE VAGABOND" EST EN COURS D'ADAPTATION SUR CD-ROM. SURPRENANT, NON ? JE N'ARRIVE PAS À CROIRE QU'APRÈS SEULEMENT SIX MOIS D'EXISTENCE, "KENSHIN" FASSE DÉJÀ L'OBJET D'UN TEL MÉDIA... C'EST ENTIÈREMENT GRÂCE À VOTRE SOUTIEN. JE VOUS REMERCIE DE TOUT CŒUR !

WATSUKI

... PERMETTEZ-MOI DE ME BAPTISER "SAGARA" !

ALORS, CAPITAINE ...

... LES ENFANTS DE PAYSANS COMME MOI POURRONT-ILS EUX AUSSI AVOIR UN NOM DE FAMILLE ?

TAP TAP TAP

MON CAPITAINE, SI L'ÉGALITÉ DES 4 CLASSES DEVIENT RÉALITÉ...

OUI.

"SANOSUKÉ SAGARA"...

ÇA NE SONNE PAS TRÈS BIEN, NON ?

HEH !

SEKIHÔTAÏ : DIVISION CONSTITUÉE DE PAYSANS ET DE COMMERÇANTS EN 1868, JUSTE APRÈS LA BATAILLE DE TOBA-FUSHIMI. DEVANÇANT L'ARMÉE RÉVOLUTIONNAIRE SE DIRIGEANT VERS EDO, LA PREMIÈRE DIVISION DE SEKIHÔTAÏ MENÉE PAR SÔZÔ SAGARA JOUA UN RÔLE PRÉPONDÉRANT À LA FOIS GRÂCE À SA CONNAISSANCE DES FIEFS LOCAUX ET AU SOUTIEN QU'ELLE LEUR APPORTA. LA PREMIÈRE DIVISION A REMONTÉ LA ROUTE DE TÔSAN EN DÉCLARANT UNE RÉDUCTION DES IMPÔTS DE MOITIÉ, COMME L'AVAIT PROMIS LE GOUVERNEMENT MEIJI.

ET
POURTANT
...

C'EST
ABSURDE !

LE SEIKIHÔTAÏ SERAIT UNE FAUSSE ARMÉE GOUVERNEMENTALE ?!

IL RENIE LE DÉCRET DE RÉDUCTION D'IMPÔT QUE NOUS AVONS PRONONCÉ, MAINTENANT !

LE GOUVERNEMENT NOUS A ABANDONNÉS !

MUR MUR

QUE FAIRE ?

MAIS ...

LE GOUVERNEUR GÉNÉRAL A ORDONNÉ AUX FIEFS LOCAUX DE STOPPER CETTE SOI-DISANT ARMÉE.

MA DIVISION, QUI STATIONNAIT À USUI-TÔGÉ, A ÉTÉ TOTALEMENT DÉTRUITE PAR LES ARMÉES DES FIEFS DE SHINSHÛ !

VOILÀ POURQUOI IL VEUT SE SERVIR DE NOUS COMME BOUC ÉMISSAIRE...

IL FUIT SES RESPONSABILITÉS !

LE GOUVERNEMENT MEIJI A BEAU AVOIR PROMIS UNE RÉDUCTION DES IMPÔTS AFIN D'OBTENIR LE SOUTIEN DES PAYSANS DES FIEFS...

... SES DIFFICULTÉS FINANCIÈRES NE LUI PERMETTRONT JAMAIS D'Y PROCÉDER.

HUF

HUF

UGH
...

BOM

C'EST TOI QUI MÉRITERAIS LE SYMBOLE DU MAL.

JE ME SUIS CONTRÔLÉ

... POUR NE PAS T'ACHEVER DÉFINITI-VEMENT.

GH...

... LES PATRIOTES, COMME MOI.

OU...

GGG

ROH

ROH

Giiii

26

DANS LE SECRET DE LA CRÉATION DES PERSONNAGES

CINQUIÈME PARTIE :

SÔZÔ SAGARA

●

SÔZÔ SAGARA EST UN PERSONNAGE QUI A RÉELLEMENT EXISTÉ, MAIS J'AI PRIVILÉGIÉ L'IMAGE QUE J'AVAIS DE LUI. LE VRAI SAGARA SEMBLE AVOIR ÉTÉ UN HOMME DE PLUS GRANDE ENVERGURE. SON VRAI NOM ÉTAIT SHIRÔ KOJIMA. IL N'ÉTAIT PAS ISSU D'UNE LIGNÉE DE SAMOURAÏS, MAIS D'UNE RICHE ET PUISSANTE FAMILLE. CELA NE L'A PAS EMPÊCHÉ DE SE CONSACRER EN TANT QUE PATRIOTE À L'ÉDIFICATION DE LA NOUVELLE ÈRE, EN LAISSANT DERRIÈRE LUI SA VILLE NATALE, SA FEMME ET SES ENFANTS. COMME DANS LE MANGA, IL A ÉTÉ EXÉCUTÉ À L'ÂGE DE 29 ANS EN TANT QUE CAPITAINE D'UNE ARMÉE GOUVERNEMENTALE FANTÔME, SUITE À DE FAUSSES ACCUSATIONS. D'APRÈS LES SOUVENIRS DE SANOSUKÉ, J'AI FAIT DE SAGARA UN HÉROS. EN FAIT, IL PARAÎTRAIT QUE SAGARA VOYAIT RÉELLEMENT EN L'ÉGALITÉ DES QUATRE CLASSES LA FINALITÉ DE LA RESTAURATION MEIJI. JE ME DEMANDE COMMENT IL AURAIT ACCEPTÉ LA PRÉTENDUE ÉGALITÉ INTRODUITE PAR LE GOUVERNEMENT MEIJI, S'IL AVAIT SURVÉCU... AU DÉPART, J'AI UN PEU HÉSITÉ À INSÉRER L'HISTOIRE DU SEKIHÔTAÏ PARCE QU'ELLE ÉTAIT MÉCONNUE DU GRAND PUBLIC. SI JE L'AI FAIT, C'EST PARCE QU'À MON AVIS ELLE MONTRE TRÈS CLAIREMENT LES TENANTS ET LES ABOUTISSANTS DE LA RESTAURATION MEIJI. ON M'A D'AILLEURS FAIT SAVOIR QU'UN ÉCRIVAIN DE RENOM AVAIT FAIT UNE REMARQUE DÉSOBLIGEANTE SUR CET ÉPISODE QU'IL TROUVAIT TROP SUBJECTIF. DE PLUS, POUR L'ÉPISODE, LE SONDAGE DES LECTEURS A CONNU SON PLUS BAS NIVEAU. MALGRÉ CELA, JE SUIS PERSUADÉ QUE LE SEKIHÔTAÏ EST INDISPENSABLE POUR COMPRENDRE LA RESTAURATION MEIJI. JE N'AI PAS PRIS DE MODÈLE PARTICULIER SUR LE PLAN GRAPHIQUE. POUR CE PERSONNAGE, J'AI OSÉ DESSINER SAGARA SELON L'IMAGE QUE JE ME FAISAIS DE LUI CAR JE N'AI JAMAIS RÉUSSI À TROUVER DE PORTRAIT OU DE PHOTO DE LUI. JE ME DEMANDE COMMENT IL ÉTAIT EN RÉALITÉ... IL SEMBLE AVOIR DU SUCCÈS AUPRÈS DE CERTAINES LECTRICES. C'EST SANS DOUTE GRÂCE À SON LOOK ET AU FAIT QU'IL SOIT LE MAÎTRE SPIRITUEL DE SANOSUKÉ !

ON VA RÉGLER ÇA UNE FOIS POUR TOUTES, BATTOSAÏ !!

Scène 8 - "Un nouveau venu"

IL VA L'UTILISER EN PROFITANT DE SON EXTRAORDINAIRE PUISSANCE...

... ET DU POIDS DU ZANBATÔ !!

LA FORCE CENTRIFUGE !

QU'EST-CE QU'IL FABRIQUE ?!

!!

...

DEPUIS LA DISPARITION DU SEKIHÔTAI, J'AI PASSÉ MON TEMPS À ME BATTRE SUR CONTRAT !

JE N'OUBLIAIS MON PASSÉ QUE L'INSTANT DU COMBAT !!

DIX ANNÉES SE SONT AINSI ÉCOULÉES, ET JE SUIS DEVENU TRÈS FORT !!

GRÂCE À CETTE PUISSANCE, JE VAIS VAINCRE AUJOURD'HUI LE PLUS FORT DES PATRIOTES !!!

KAHH

* LE MAL

Scène 8
"Un nouveau venu"

IL FRIME...

MON POINT FORT, C'EST LA RÉSISTANCE PHYSIQUE.

! POM POM

NOTE : DESSIN FAIT DE LA MAIN GAUCHE

VOUS NE VOULEZ PAS ENLEVER CE SYMBOLE DANS VOTRE DOS ?

ZANZA...

JE DOUTE MÊME DE LA SINCÉRITÉ DONT TU AS FAIT PREUVE HIER.

À 19 ANS, MON ESPRIT REBELLE EST INCORRIGIBLE.

NON...

LES SOUVENIRS DU SEKIHÔTAI SONT TROP IMPORTANTS POUR MOI.

C'EST POURQUOI...

CE SYMBOLE DOIT RESTER À SA PLACE.

DANGO THÉ

* LE MAL

DANS LE SECRET DE LA CRÉATION DES PERSONNAGES

SIXIÈME PARTIE :

SANOSUKÉ SAGARA

•

POUR LES FANS DE SHINSEN-GUMI, IL N'EST PAS DIFFICILE DE DEVINER QUI EST
LE MODÈLE DE SANOSUKÉ. C'EST SANOSUKÉ HARADA, LE CAPITAINE DE LA
DIXIÈME UNITÉ DU SHINSEN-GUMI. SANOSUKÉ HARADA ÉTAIT UN LANCIER TRÈS
HABILE, RECONNU COMME L'UN DES CINQ PLUS BEAUX HOMMES DU SHINSEN-GUMI,
BIEN QU'IL SOIT DÉCRIT COMME ASSEZ GROS DANS LE ROMAN DE RYÔTARÔ
SHIBA, "LE SABRE BRÛLANT", MA BIBLE. FERVENT COMBATTANT, IL A PARTICIPÉ À
TOUS LES COMBATS DÉCISIFS DU SHINSEN-GUMI. C'ÉTAIT UN HOMME RUDE ET
TRÈS IMPATIENT. MAIS EN RAISON DE SES ORIGINES MODESTES, IL SAVAIT FAIRE
PREUVE D'UNE GRANDE SENSIBILITÉ. IL S'OCCUPAIT BIEN DE SON UNITÉ ET
NOTAMMENT DES PLUS JEUNES. AYANT TOUJOURS UN AVIS PERSONNEL,
C'EST LE TYPE MÊME DU GRAND FRÈRE, ASSEZ COMMUN DANS LES MANGA.
BIEN QU'IL AIT ÉTÉ PRÉSUMÉ MORT LORS DE LA GUERRE D'UENO, LA
LÉGENDE VEUT QU'IL AIT SURVÉCU ET SOIT DEVENU LE CHEF D'UN GROUPE DE
BANDITS EN CHINE. VOILÀ QUI PROUVERAIT À NOUVEAU SON CHARISME...
COMME JE L'APPRÉCIE BEAUCOUP, IL EST APPARU DANS "KENSHIN" SOUS LE
NOM DE SANOSUKÉ SAGARA. JE SUIS BIEN CONTENT QUE CE PERSONNAGE SOIT
POPULAIRE. EN REVANCHE, SON NOM EST SOUVENT MAL ORTHOGRAPHIÉ
PAR LES LECTEURS.

•

SON MODÈLE GRAPHIQUE N'EST PAS CELUI D'UN PERSONNAGE TYPIQUE DE
MANGA, COMME CERTAINS AIMENT À LE CROIRE (PROBABLEMENT À CAUSE DE SA
COIFFURE). LE MODÈLE DE SANO EST INSPIRÉ DU HÉROS "LUMP", D'UN MANGA
APPELÉ "LUMP-LUMP D'ARABIE", ÉCRIT PAR MON MAÎTRE TAKÉSHI OBATA. POUR
CRÉER SANO, J'AI ARRANGÉ DANS UN STYLE JAPONAIS DES ESQUISSES
DE LUMP QUE J'AVAIS DESSINÉES LORSQUE J'ÉTAIS SON ASSISTANT.

Scène 9 "Le chapeau noir"

50

Scène 9
"Le Chapeau noir"

OYO ?

MIAM MIAM MIAM

C'EST TRÈS BIEN...

ET QUE VOULIEZ-VOUS ME DEMANDER ?

JE DOIS VOUS AVERTIR QUE...

VEUILLEZ M'EXCUSER POUR LES TROUBLES CAUSÉS PAR LA POLICE ARMÉE, L'AUTRE JOUR.

AUCUN JOURNAL N'A LE DROIT D'EN PARLER. JE VOUS PRIE DONC DE GARDER LE SECRET.

... CELA MET EN CAUSE LA RÉPUTATION DE LA POLICE.

L'ORGANISATION A ÉTÉ DISSOUTE, ET NOUS ESSAYONS D'ASSAINIR LE RESTE DES TROUPES.

LES DOUBLEURS DU DESSIN ANIMÉ
"KENSHIN LE VAGABOND" SONT LES SUIVANTS :

- KENSHIN HIMURA : MÉGUMI OGATA
- KAORU KAMIYA : TOMO SAKURAI
- YAHIKO MYÔJIN : MINAMI TAKAYAMA

COMME LA PREMIÈRE SÉRIE EST UNE
RÉORGANISATION DES QUATRE PREMIERS
ÉPISODES, SANOSUKÉ N'APPARAÎT PAS.
J'EN SUIS DÉSOLÉ POUR SES FANS. MAIS SI
LA PREMIÈRE SÉRIE MARCHE BIEN, IL Y AURA
PEUT-ÊTRE UNE SUITE.

JE NE SUIS PAS INTERVENU DANS LE CHOIX
DES COMÉDIENS, ET J'AI BIEN FAIT CAR LE
RÉSULTAT EST BON. À SUIVRE...

WATSUKI

UN TEL HOMME NE DEVRAIT PLUS EXISTER AUJOURD'HUI, DIX ANS APRÈS LA FIN DE L'ÈRE EDO.

... UN TUEUR ASSOIFFÉ DE SANG. IL A DÛ PERDRE SES BUTS ET SES REPÈRES.

EN MULTIPLIANT TOUS CES ASSASSINATS, IL EST SANS DOUTE DEVENU...

KENSHIN...

...

BZZZ

58

PRÊTER MAIN FORTE À MES GARDES DU CORPS ?

JE N'AI PAS BESOIN DE LA POLICE.

INUTILE ! LE MEURTRIER EST SEUL.

VOUS DEVRIEZ SAVOIR...

... LE DANGER QU'IL REPRÉSENTE...

ATTENTION À CE QUE TU DIS ! J'AI SURVÉCU AUX PIRES SITUATIONS LORS DE LA RESTAURATION, JE N'AI PAS BESOIN DE TES CONSEILS !

VOUS SOUS-ESTIMEZ LE CHAPEAU NOIR, MONSIEUR TANI !

ILS SONT TOUS PRÊTS À RISQUER LEUR VIE POUR SANJURÔ TANI, L'UN DES PIVOTS DU MINISTÈRE DE L'ARMÉE !

PFF... C'EST POUR ÇA QUE J'AI MIS EN PLACE CE CORPS DE GARDIENS.

LE COMMIS-SAIRE N'A QU'À RENTRER CHEZ LUI !

HEH

HEH

C'EST EXACT. MONSIEUR TANI EST EN PARFAITE SÉCURITÉ AVEC NOUS...

... C'EST LE CAS.

MALHEU-REUSE-MENT...

ET TU OSES DIRE QUE CES TYPES SONT PLUS FORTS QUE L'ENSEMBLE DES POLICIERS QUI SONT SOUS TES ORDRES ?!

JE NE PEUX PAS ME PERMETTRE DE DEMANDER DE L'AIDE À DES ÉTRANGERS...

QUOI ?!

EUH

GRRRR

JE NE RECONNAIS PAS LE MONSIEUR TANI QUE JE PROTÉGEAIS JADIS.

JE VOIS QUE VOUS ÊTES DEVENU TRÈS ORGUEILLEUX.

Giii !

GH !!

JE ME SOUVIENS D'AVOIR VAINCU BON NOMBRE D'ENTRE EUX.

HÉ ! VOUS PARLIEZ DE GARDIENS DE PREMIER ORDRE ?!

ZOOOF

Scène 10 • "Le cœur à sens unique"

Scène 10
"Le cœur
à sens
unique"

72

MADEMOISELLE OGATA EST
UNE DOUBLEUSE TRÈS CONNUE...
MÊME DE MOI QUI NE CONNAIS
PAS BIEN LE MILIEU DE L'ANIMÉ !
DE NOMBREUX LECTEURS ME
L'AVAIENT SUGGÉRÉE POUR DOUBLER
KENSHIN. JE TROUVE CELA TRÈS
INTÉRESSANT... JE PENSE AUSSI QUE
LA VOIX DE MADEMOISELLE OGATA
COLLE BIEN À CELLE DE KENSHIN.
J'EN SUIS TRÈS SATISFAIT. À SUIVRE...

WATSUKI

KENSHIN LE VAGABOND
CHRONIQUE D'UN EXPERT EN
SABRE À L'ÈRE MEIJI

Scène ll
"Rubans et caprices"

LE LENDEMAIN MATIN...

6 BLESSÉS GRAVES, 3 BLESSÉS LÉGERS...

ILS ONT DIT QUE C'ÉTAIT LE BILAN LE PLUS FAIBLE POUR UNE AFFAIRE DU CHAPEAU NOIR.

9 BLESSÉS TOUT DE MÊME. JE NE M'EN RÉJOUIS PAS.

TU ES DUR AVEC TOI-MÊME. TU SAIS, C'EST UN MIRACLE QU'IL N'Y AIT PAS EU DE MORTS.

CE N'EST PAS SI SIMPLE.

TAP TAP

TAP

TU ME FAIS MAL !

MAIS QUOI QU'IL EN SOIT, LE PLUS FORT EST AVEC NOUS !

OPTIMISTE

JINNÉ UDÔ, LE CHAPEAU NOIR...

... CET ANCIEN ASSASSIN DEVENU FOU.

À VRAI DIRE, JE NE CONNAISSAIS PAS MADEMOISELLE SAKURAI.
VEUILLEZ EXCUSER CETTE LACUNE... UN AMI M'A DIT QU'ELLE FAISAIT LA VOIX DE
L'HÉROÏNE D'UN ANIMÉ QUI A DÉBUTÉ CET AUTOMNE. JE L'AI REGARDÉ... ET SA VOIX
M'A PLU. ELLE N'EST NI TROP AIGÜE NI TROP BASSE. ELLE SE RAPPROCHE DE LA VOIX
DE KAORU TELLE QUE JE L'AVAIS IMAGINÉE, DANS LE SENS OÙ ELLE NE "GLAPIT" PAS.
JE TROUVE AUSSI QUE MADEMOISELLE SAKURAI ASSIMILE BIEN SON RÔLE.
JE PENSE QUE C'EST UN TRÈS BON CHOIX.

QUANT À MADEMOISELLE TAKAYA, ON M'A APPRIS QU'ELLE DOUBLAIT
KIKI DANS "KIKI'S DELIVERY SERVICE", DU GRAND HAYAO MIYAZAKI (EXCUSEZ
À NOUVEAU MON IGNORANCE). SA VOIX, TRÈS VIVANTE, DOIT BIEN COLLER
AU PERSONNAGE DU PETIT YAHIKO.

                                              WATSUKI

IL A DÛ Y AVOIR UN ORAGE EN AMONT. LE NIVEAU DES EAUX A AUGMENTÉ. SI JE TOMBE, C'EST FINI.

ZAP

IL EST LÀ...

JE T'AI ENFIN TROUVÉ !

HUF

KEENNNN-SHIIINN !

OH OH OH OH OH OH OH OH OH OH OH OH

OYO

PSHUT

HUF HUF

ELLE EST PLUS TERRIFIANTE QUE JINNÉ...

TAK TOC

JE RESTE AVEC TOI.

ALORS MOI NON PLUS.

... TU NE RENTRERAIS PAS AU DÔJÔ PENDANT UN MOMENT...

SANOSUKÉ M'A DIT QUE...

...

KAORU
...

VOUS SAVEZ QUI EST JINNÉ ?

OUI. MAIS JE NE RENTRERAI PAS.

NON !

ALORS AVEC YAHIKO ?

VOUS VOUS ÊTES DISPUTÉE AVEC SANO ?

JE N'AI AUCUNE CHANCE DE GAGNER CONTRE LUI...

... SI JE DOIS PROTÉGER QUELQU'UN PENDANT LE COMBAT.

KENSHIN LE VAGABOND
CHRONIQUE D'UN EXPERT EN
SABRE À L'ÈRE MEIJI

Scène 12 • "Les deux assassins"

Scène 12
"Les deux assassins"

NE ME REGARDE PAS COMME ÇA...

JE NE T'AI PAS KIDNAPPÉE POUR TE MANGER.

SSH

AU CONTRAIRE...

HI HI...

ET SA COLÈRE RÉGÉNÈRE SON ESPRIT DE TUEUR !

SI JE TE PRENDS EN OTAGE, BATTOSAÏ SE FÂCHE...

MAIS POUR ME PRENDRE EN OTAGE, BIEN SÛR...

J'IGNORAIS QUE LE CHAPEAU NOIR ÉTAIT AUSSI LÂCHE !

112

124

125

URGH ?!

126

KENSHIN LE VAGABOND
CHRONIQUE D'UN EXPERT EN
SABRE À L'ÈRE MEIJI

Scène 13 • "L'origine des patriotes"

Scène 13

"L'Origine des patriotes"

YAHH

SCHH

TRC

TON REGARD EST DIGNE D'UN TUEUR, EN EFFET !

HI... HUM... JE VOIS QUE TU ES À LA HAUTEUR DE TA RÉPUTATION.

ALORS ?

... MAIS RIEN NE M'EMPÊCHE DE L'UTILISER.

CE N'EST PAS UNE TECHNIQUE TRÈS LOYALE ...

MAIS...

CELA M'EST ÉGAL. FAIS COMME TU VEUX.

SI JE TE DIS QUE JE TE TUERAI...

TU PEUX ME CROIRE, TA MORT SERA EFFECTIVE.

SCHUFF

... LA POSITION DE LA TECHNIQUE DE BATTÔ !

C'EST...

LA TECHNIQUE DE BATTÔ DE L'ÉCOLE HITEN MITSURUGI...

... EST LA PLUS RAPIDE QU'IL SOIT !

TECHNIQUE DE BATTÔ

EN DÉGAINANT LE SABRE RAPIDEMENT, ON PEUT DOUBLER VOIRE TRIPLER LA VITESSE D'ATTAQUE. AINSI PEUT-ON VAINCRE L'ADVERSAIRE D'UN SEUL COUP, SANS LUI DONNER LA MOINDRE POSSIBILITÉ D'AGIR. CETTE TECHNIQUE EST ÉGALEMENT APPELÉE "IAI" OU "NUKI" SELON L'ÉCOLE.

KENSHIN LE VAGABOND
CHRONIQUE D'UN EXPERT EN
SABRE À L'ÈRE MEIJI

Scène 14
"Épilogue
lunaire"

KENSHIN !

150

153

156

À PROPOS DU CD-ROM "KENSHIN LE VAGABOND", SON SCÉNARIO EST BIEN FICELÉ ET J'ATTENDS AVEC IMPATIENCE SA SORTIE. JE REGRETTE DE NE PAS POUVOIR ASSISTER AU DOUBLAGE À CAUSE DE MON TRAVAIL.

JE TROUVE TOUJOURS TOUT CELA UN PEU ÉTONNANT POUR "KENSHIN LE VAGABOND". JE N'ARRIVE PAS À CROIRE QUE ÇA SE RÉALISE. JE SUIS PRESSÉ DE VOIR CE QUE ÇA VA DONNER.

WATSUKI

... LES CONFLITS DE POUVOIR SANGLANTS SE POURSUIVENT, TOUT COMME À LA FIN DE L'ÈRE EDO.

MÊME DANS CETTE NOUVELLE ÈRE...

MOI JE NE VEUX PAS ARRÊTER DE TUER. VOICI COMMENT LES INTÉRÊTS DES HOMMES POLITIQUES CONVERGENT AVEC CEUX DES ASSASSINS COMME MOI.

CERTAINS VEULENT EFFACER LEURS ADVERSAIRES, MAIS AUJOURD'HUI C'EST PLUS COMPLIQUÉ, LE SYSTÈME EST PLUS MODERNE, ET IL Y A LA POLICE...

ET VOILÀ COMMENT EST NÉ "LE CHAPEAU NOIR".

JINNÉ ...

MAIS JE NE REGRETTE RIEN JE ME SUIS BIEN AMUSÉ LORS DE CE COMBAT CONTRE TOI.

JE SUIS PUNI PARCE QUE J'AI VIOLÉ CETTE RÈGLE, EN TE DÉFIANT PAR PUR PLAISIR.

"UN ASSASSIN TUE POUR EXÉCUTER UNE COMMANDE"...

... TELLE ÉTAIT LA RÈGLE.

ET JE N'AI PLUS AUCUNE RAISON DE VIVRE AVEC CE BRAS BRISÉ.

QU'EST-CE QUE C'EST QUE ÇA ?! IL EST PLEIN DE SANG !!

C'EST À CAUSE DE MA BLESSURE À L'ÉPAULE GAUCHE.

JINNÉ...

CAR MÊME SI MA VRAIE NATURE EST D'ÊTRE UN ASSASSIN, JE ME CONTRÔLERAI JUSQU'À LA FIN.

TU VAS VOIR !!

C'EST TERRIBLE !

... OBSERVE-MOI BIEN, DU FIN FOND DE L'ENFER...

CE N'ÉTAIT PAS DE MA FAUTE !

JE RESTERAI UN VAGABOND QUI NE TUERA JAMAIS PLUS.

JE NE REDEVIENDRAI JAMAIS BATTOSAÏ L'ASSASSIN.

TU AS ENFIN RÉALISÉ TON RÊVE ?

...

VOUS AVEZ PASSÉ LA NUIT ENSEMBLE ?

DANS LE SECRET DE LA CRÉATION DES PERSONNAGES

SEPTIÈME PARTIE :

JINNÉ UDÔ

•

BIEN QU'AU DÉPART SON MODÈLE SOIT "IZÔ OKADA", L'ASSASSIN LE PLUS CONNU DE LA FIN DE L'ÈRE EDO, J'AI FINALEMENT CONÇU UN PERSONNAGE COMPLÈTEMENT DIFFÉRENT. JE DEMANDE OFFICIELLEMENT AUX FANS D'IZÔ DE NE PAS M'ENVOYER DE LETTRES D'INDIGNATION ! J'AI CRÉÉ LE PERSONNAGE DE JINNÉ L'ASSASSIN À L'OPPOSÉ DE CELUI DE KENSHIN. C'EST UN TUEUR EN SÉRIE COMPLEXE, UN VRAI PSYCHOPATHE. J'AI LONGUEMENT RÉFLÉCHI QUANT À SA MORT. POUR COMPLÉTER LA PHILOSOPHIE QUI LE POUSSE À TUER, J'AI DÛ ME CONTRAINDRE À LE FAIRE SE SUICIDER. BIEN QU'IL AIT PERDU CONTRE "BATTOSAÏ", JINNÉ EST LE SEUL PERSONNAGE QUI AIT GAGNÉ CONTRE "KENSHIN".

•

SON MODÈLE GRAPHIQUE EST CELUI DES HÉROS MUTANTS D'UNE FAMEUSE BD AMÉRICAINE (DONT LE TITRE N'EST PAS DIFFICILE À DEVINER). DEPUIS QUE J'AI VU CE HÉROS DESSINÉ PAR JIM LEE IL Y A 3 ANS, JE SUIS DEVENU UN VRAI FAN ! À TEL POINT QUE JE COLLECTIONNE TOUS LES GADGETS LE CONCERNANT. JE NE SAIS PAS S'IL EXISTAIT DES COMBINAISONS MOULANTES À L'ÈRE MEIJI, MAIS SES YEUX, DONT LA PUPILLE EST BLANCHE ET LA RÉTINE NOIRE, NE SONT AUTRES QUE CEUX D'UN PSYCHOPATHE. SON COSTUME EXTRAVAGANT SURMONTÉ D'UN CHAPEAU NOIR ET LE KIMONO BLANC SONT INSPIRÉS DES VÊTEMENTS DE KAMO SERIZAWA, LE PREMIER CAPITAINE DU SHINSEN-GUMI, APPARU EN TANT QUE HÉROS DE MANGA IL Y A 14 OU 15 ANS. SI VOUS CONNAISSEZ CE MANGA, VOUS N'ÊTES PAS UN SIMPLE FANA DU SHINSEN-GUMI MAIS UN MAÎTRE EN CE DOMAINE !

Scène 15 "En fuite"

CETTE FOIS-CI JE NE VOUS PARLERAI PAS DU CD-ROM !
JE VOUS REMERCIE POUR VOTRE COURRIER. LA PROPORTION
HOMME-FEMME DE MES LECTEURS A QUELQUE PEU CHANGÉ,
MAIS LA MAJORITÉ RESTE À 80% FÉMININE...
J'AIMERAIS RÉPONDRE À TOUT LE MONDE MAIS VOUS ÈTES
TROP NOMBREUX ! EN PLUS, MON AGENDA EST REMPLI À TEL
POINT QUE JE N'AI PAS PRIS UN SEUL JOUR DE CONGÉ
DEPUIS PLUSIEURS SEMAINES... EXCUSEZ-MOI !

CERTAINES LETTRES SE PROPOSENT DE M'ENVOYER
DES FANZINES. JE SERAIS CONTENT DE LES RECEVOIR.
J'EN AI D'AILLEURS DÉJÀ REÇU UNE VINGTAINE. JE SUIS
COMPLÈTEMENT FAVORABLE À CE GENRE D'ACTIVITÉ.
AU REVOIR ET À BIENTÔT, DANS LE VOLUME 3.

WATSUKI

176

UNE PRISE DE TROP... ÇA L'A TUÉ.

!!

C'EST L'OPIUM QUI L'A TUÉ...

OPIUM : SUC ÉPAISSI QUI S'ÉCOULE DES INCISIONS FAITES SUR LA PLANTE DE PAVOT. L'OPIUM EST LA DROGUE LA PLUS ANCIENNE QU'AIE CONNU L'HUMANITÉ. ELLE PROVOQUE DES EFFETS PROCHES DE CEUX DE LA MORPHINE ET ENTRAÎNE DES SYMPTÔMES DE DÉPENDANCE TRÈS GRAVES. À CETTE ÉPOQUE, SON UTILISATION ÉTAIT STRICTEMENT INTERDITE.

N'IMPORTE QUI NE PEUT PAS SE PROCURER UNE SI GRANDE QUANTITÉ...

L'OPIUM EST UNE DROGUE TRÈS CHÈRE.

MAIS C'EST BIZARRE...

QUEL IDIOT !

IL S'EST ADONNÉ À L'OPIUM...

ZZZZZ

TAP TAP TAP

HEIN ?

QU'EST-CE QUI SE PASSE ?

GRRR

179

81

SAUVÉE PAR
LE TATAMI !

188

"LES DEUX ASSASSINS", FIN.

D0168566